Luz Ma. Gómez Soto

Salsas
Mexicanas
para todos los gustos

Editorial Época, S.A. de C.V.
Emperadores No. 185
Col. Portales
C.P. 03300, México, D.F.

Salsas
Mexicanas
para todos los gustos

Salsas Mexicanas para todos los gustos
© Luz Ma. Gómez Soto

© Derechos reservados 2009
© Editorial Época, S.A. de C.V.
  Emperadores No. 185, Col. Portales
  C.P. 03300-México, D.F.
  email: edesa2004@prodigy.net.mx
  www.editorial-epoca.com.mx
  Tels: 56-04-90-46
       56-04-90-72

ISBN: 970-627-790-0
      978-970-627-790-9

Impreso en México — *Printed in Mexico*

Introducción

El chile es uno de los ingredientes que más gustan a los mexicanos, porque si bien la gastronomía del país es rica y muy variada, hace falta añadirle un poco más de sabor, lo que se consigue fácilmente con las salsas de chiles. Las hay dulces, ligeramente picosas y las extremadamente picantes, pero lo cierto es que también son muy demandadas por los paladares las exóticas, todas con el único fin de brindar un sabor acrecentado.

La presente compilación ha tenido como objetivo reunir las recetas de salsas más exquisitas, que pueden ser acompañadas de carnes, pescados, aves y verduras. Después de haber leído cada una de sus páginas, estamos seguros que muchas de ellas le harán despertar la curiosidad de guisarlas y probarlas, ¡no se quede con la ganas!, hoy mismo puede comenzar a cocinar salsas deliciosas y muy variadas, que le darán un toque de distinción a su cocina. Olvídese de la clásica roja con chile, o la de tomate con aguacate, aquí tiene más de 50 recetas reunidas y dispuestas para que usted, ama de casa, se luzca.

O bien, si tiene un negocio, e incluso si es chef, querrá tener esta pequeña guía que será de hoy en adelante como su placer culposo.

Nunca antes se había hecho un trabajo tan extenso capaz de reunir salsas tan simples, elaboradas y extrañas que puedan contener entre sus ingredientes el tuétano, los jumiles, los escamoles, los xoconostles, entre otros ingredientes que sin duda le harán romper los esquemas de la preparación de salsas. ¡Comience ya a darle sabor picante y único a su cocina!

Luz Ma. Gómez Soto

CHILE
SERRANO

Guacamole casero

Ingredientes:
4 tomates verdes
2 chiles serranos con semillas, picados
2 cucharaditas de mejorana fresca, picada
1 cucharada de aceite de oliva
1 aguacate (la pulpa)
1/2 diente de ajo, pelado
1/4 de cilantro fresco, picado
1/4 de taza de cebolla, finamente picada (opcional)
1/8 de vaso de agua fresca (o consomé de pollo)
Sal, al gusto

Cómo preparar:
Licue los tomates y el ajo; agregue la pulpa de aguacate, el cilantro y la mejorana. Vuelva a licuar hasta que obtenga una consistencia acremada. Añada los chiles, la cebolla y el aceite de oliva. Utilice el caldo o el agua para aligerar la consistencia. Por último, sazone con sal.

Chile serrano con hoja de aguacate

Ingredientes:
8 tomates verdes
3 chiles serranos, sin semillas

1 hoja de aguacate, ligeramente asada
1 diente de ajo chico, pelado
1/4 de cebolla, finamente picada
1/8 de vaso de aceite de maíz
Sal, al gusto

Cómo preparar:

Licue los tomates junto con los chiles, la hoja de aguacate y el ajo. Vierta la mezcla que resulte en una sartén con el aceite caliente. Retire la salsa del fuego y agregue la cebolla. Sazone con sal.

Salsa pico de gallo

Ingredientes:
3 chiles serranos, picados
2 jitomates, picados
1 cucharada de aceite de oliva extra virgen (opcional)
1 cebolla grande, picada
1 manojo de cilantro, finamente picado
1 limón (el jugo)
Sal, al gusto

Cómo preparar:

Coloque los jitomates, los chiles, la cebolla, el cilantro y el jugo de limón en un recipiente para salsa. Revuelva hasta que todos los ingredientes se incorporen. Finalmente, sazone con sal.

Guacamole pueblerino

Ingredientes:
3 jitomates, asados y pelados
3 chiles serranos, asados
2 cucharadas de orégano molido
2 aguacates pelados y picados (de preferencia *has*)
1 cebolla, finamente picada
Sal, al gusto

Cómo preparar:
En un molcajete, si lo tiene, muela los jitomates, los chiles y sazone con sal; si no tiene molcajete, en un recipiente triture los ingredientes antes mencionados. Vierta la salsa resultante en una cazuela de barro (imprescindible) y añada la cebolla con el orégano y el aguacate. Por último, revuelva los ingredientes.

Salsa mexicana cruda

Ingredientes:
4 ramas de cilantro, picadas
2 chiles serranos, picados

1 jitomate, finamente picado
1/2 cebolla, finamente picada
Sal, al gusto

Cómo preparar:

En un recipiente mezcle los chiles, la cebolla, el jitomate y el cilantro; combine hasta que los ingredientes estén bien incorporados. Finalmente, sazone con sal.

Salsa verde cruda

Ingredientes:
8 ramas de cilantro, picadas
5 tomates verdes
5 chiles serranos
2 hojas de yerbabuena
1/2 cebolla
1/3 de taza de agua
Sal, al gusto

Cómo preparar:

Licue los tomates, la cebolla, los chiles y la yerbabuena con el agua. Añada la sal y vuelva a licuar. Vierta la salsa en un recipiente y añada el cilantro.

Salsa oaxaca

Ingredientes:
3 chiles serranos, picados
2 limones (el jugo)
1 cebolla chica, picada
1 cucharada de mezcal blanco
1/2 rama de apio, finamente picado
Sal, al gusto

Cómo preparar:
Revuelva los chiles, la cebolla y el apio; vierta el mezcal y el jugo de limón. Finalmente, sazone con sal. Deje reposar por lo menos cuatro horas antes de servirse.

Pico de gallo con chinicuiles

Ingredientes:
100 gm de chicharrón de cerdo (opcional)
20 chinicuiles
4 jitomates, picados
3 chiles serranos verdes, picados
1 aguacate, picado
1/2 manojo de cilantro, picado
1/4 de taza de aceite de maíz

1/4 de cebolla, picada

Sal, al gusto

Cómo preparar:

En una sartén dore los chinicuiles con el aceite caliente. Píquelos y revuélvalos con el jitomate, la cebolla, el aguacate, el chile, el cilantro y la sal. Si lo desea, añada el chicharrón previamente pulverizado en una bolsa de plástico.

CHILE
JALAPEÑO

Salsa de jitomate a las brasas

Ingredientes:
2 chiles jalapeños, asados y picados
2 jitomates maduros, asados y picados
1 1/2 dientes de ajo, asados, pelados y picados
1 cebolla, finamente rebanada y asada
1/2 taza de agua
1/4 de cucharadita de orégano seco
1/4 de cucharadita de comino, tostado y molido
Sal, al gusto

Cómo Preparar:
En un recipiente ponga los chiles, el jitomate, el ajo, la cebolla, el orégano, el comino y el agua. Revuelva perfectamente todos los ingredientes, y sazone con sal.

Salsa de chile a la parrilla

Ingredientes:
8 chiles jalapeños, asados a la parrilla, desvenados y cortados
1 cebolla, finamente rebanada y asada en la parrilla
1 cucharada de aceite de oliva
1/2 taza de agua tibia
1/2 cucharadita de mejorana fresca, picada

1/2 diente de ajo, finamente picado
Sal, al gusto

Cómo preparar:
Mezcle en un recipiente el chile, la cebolla, el ajo, el aceite de oliva, la mejorana y el agua. Revuelva perfectamente hasta que los ingredientes se incorporen. Por último, sazone con sal.

Salsa jalapeña

Ingredientes:
100 gm de azúcar
8 chiles jalapeños, sin semillas y picados
2 vasos de vinagre blanco
Sal, al gusto

Cómo preparar:
En un recipiente ponga a fuego lento el chile, el vinagre y la azúcar; sazone con sal. Déjelos hervir hasta que espesen. Retire del fuego y permita que se enfríen ligeramente; enseguida licue todos los ingredientes y rectifique la sazón. Por último, guarde la salsa en frasco previamente esterilizado. Refrigere hasta que se consuma. Esta salsa puede durar hasta cuatro días en el refrigerador.

Salsa de chile jalapeño rojo

Ingredientes:

1 taza de chiles jalapeños rojos, sin semillas y
   desvenados
1 diente de ajo, pelado
1 cebolla
1 cucharadita de orégano
1 cucharada de mantequilla
1/2 taza de agua hirviendo
Sal, al gusto

Cómo preparar:

En un recipiente disponga los chiles y cúbralos con
la taza de agua hirviendo; déjelos reposar 15 minutos.
Luego, reserve la mitad del agua y licue el resto con los
chiles, el ajo, la cebolla y el orégano hasta obtener una
consistencia cremosa. Vierta la mezcla en una cacerola
con el agua que reservó y añada la mantequilla, lleve
la preparación a fuego lento, y déjela hervir hasta que
espese, removiendo ocasionalmente para evitar que se
queme. Por último, sazone con sal.

Salsa zapatista

Ingredientes:
8 chiles jalapeños
3 limones (el jugo)
2 dientes de ajo, pelados
1/2 cebolla
Sal, al gusto

Cómo preparar:
Muela los chiles, el ajo y la cebolla con sal. Vierta sobre un recipiente para salsa y añada el jugo de limón.

Salsa de jumiles

Ingredientes:
10 tomates verdes
3 chiles jalapeños
2 hojas de epazote
1 puño de jumiles vivos
1 diente de ajo, pelado
1/4 de cebolla
Sal, al gusto

Cómo preparar:

Muela los chiles, los tomates, el ajo, la cebolla y el epazote. Luego, agregue los jumiles y tritúrelos. Por último, sazone con sal.

CHILE
POBLANO

Salsa ranchera

Ingredientes:
3 chiles poblanos, asados, pelados y desvenados
2 jitomates maduros, asados y picados con piel
2 dientes de ajo, pelados
2 chiles jalapeños, asados
1 cebolla, finamente rebanada y asada
1 cucharadita de aceite de oliva
1/4 de cucharadita de comino, asado y molido
1/4 de cucharadita de orégano seco
1/4 de taza de consomé de pollo (puede sustituir con
    agua)
Sal, al gusto

Cómo preparar:
Muela los chiles, añada los jitomates, la cebolla, el ajo, el comino, el orégano, el consomé de pollo y el aceite de oliva. Finalmente, sazone con sal.

Salsa de poblano al carbón

Ingredientes:
3 chiles poblanos, asados al carbón, pelados y
    desvenados
2 tomates, asados

2 dientes de ajo, asados y pelados
1 jitomate mediano maduro
1 taza de agua
1/2 cebolla, cortada en rodajas y asada
1/4 de cucharadita de orégano seco
Sal, al gusto

Cómo preparar:

Muela los chiles, el jitomate, los tomates, la cebolla, los dientes de ajo, el orégano y el agua en un molcajete, si lo tiene, de lo contrario triture todo con la ayuda de un vaso en un recipiente. Sazone con sal.

Salsa con queso de cabra

Ingredientes:
350 gm de queso de cabra natural, cortado en dados
35 gm de mantequilla
3 chiles poblanos, desvenados y picados
4 ramitas de cilantro
2 dientes de ajo, pelados y picados
1/2 cebolla, rebanada
1/2 litro de consomé de pollo
1/4 de litro de crema espesa
Sal y pimienta, al gusto

Cómo preparar:

Funda la mantequilla a fuego lento; saltee el ajo, la cebolla y los chiles en ella. Cocine estos ingredientes hasta que se suavicen. Añada el cilantro y el consomé de pollo. Deje hervir durante 15 minutos y añada la crema. Retire la preparación del fuego y muela perfectamente; luego, regrésela a fuego lento y añada el queso, removiendo con un batidor hasta que se funda. Sazone con sal y pimienta. Puede emplearla para sus parrilladas, pues se lleva perfectamente con las carnes y los pescados.

CHILE
MANZANO

Salsa con ajo y ajonjolí

Ingredientes:
200 gm de ajonjolí tostado
6 chiles manzanos, fritos en aceite de oliva
5 dientes de ajo, pelados y fritos en aceite de oliva
3 naranjas (el jugo)
Sal, al gusto

Cómo preparar:
Muela los chiles en el molcajete, o en un recipiente tritúrelos, si no cuenta con el molcajete, junto con el ajo, el ajonjolí y el jugo de naranja. Por último, sazone con sal. Esta salsa es excelente para acompañar pechugas a la parrilla.

Salsa de chile manzano

Ingredientes:
3 chiles manzanos, asados
2 dientes de ajo, pelados
2 jitomates chicos, asados
1 cucharada de aceite de oliva
1/4 de cebolla chica
Sal, al gusto

Cómo preparar:

Muela los chiles, los jitomates, los ajos y sazone con suficiente sal. Fría la mezcla resultante en una sartén con el aceite caliente durante siete minutos.

Salsa con mango

Ingredientes:

3 chiles manzanos (verde, amarillo y rojo), sin semillas y picados
2 cucharadas de aceite de oliva
1 limón (el jugo)
1/2 mango manila, finamente picado
1/2 cebolla, finamente picada
Sal, al gusto

Cómo preparar:

Mezcle el chile con el mango y la cebolla; agregue el jugo de limón y el aceite de oliva. Finalmente, sazone con sal.

Salsa con manzana y cebollín

Ingredientes:

2 chiles manzanos (verde y amarillo), sin semillas y finamente picados

2 manzanas, cocidas y trituradas
2 cucharadas de aceite de oliva
2 cucharadas de cebollín, finamente picado
1 diente de ajo, asado, pelado y picado
1 limón (el jugo)
Sal, al gusto

Cómo preparar:

Revuelva el chile, el puré, el ajo, el jugo de limón y el aceite de oliva; sazone con sal. Por último, espolvoree con el cebollín. Si lo prefiere, puede utilizar el puré de una manzana y cortar la otra en cubitos, para que la salsa adquiera textura.

CHILE
HABANERO

Salsa con piña y albahaca

Ingredientes:
4 cucharadas de albahaca, picada
4 tazas de jitomate, picado en cubos
3 cucharadas de cebolla, picada
2 limones (el jugo)
1 chile habanero, sin semillas y picado
1 pimiento rojo, picado
1/2 taza de piña, en cubos
Sal, al gusto

Cómo preparar:
  Licue la cebolla, el jitomate, el chile, la albahaca, el pimiento, el jugo de limón y la piña. Vierta la mezcla en un recipiente y sazone con sal. Luego, meta al refrigerador, y deje reposar alrededor de 15 minutos.

Salsa con especias

Ingredientes:
5 pimientas negras
4 chiles habaneros, cortados en rodajas
2 pizcas de clavo, en polvo
1 taza de jugo de naranja agria

1 cucharadita de orégano
1 cebolla morada, cortada en rodajas finas

Cómo preparar:

En un recipiente mezcle el jugo de naranja, el clavo y la pimienta; revuelva bien hasta que se incorporen los ingredientes. Agregue el chile y la cebolla; es importante que lo haga tal cual se describe, pues si echa todos los ingredientes el sabor no será el mismo. Deje reposar la salsa cuando menos dos horas antes de servirse.

Salsa con jitomate

Ingredientes:

3 chiles habaneros, picados
3 jitomates maduros, asados, pelados y sin semillas, cortados en cubos
2 dientes de ajo, pelados y picados
2 naranjas agrias (el jugo)
1 cebolla morada, picada
1/2 taza de cilantro, picado
Sal, al gusto

Cómo preparar:

Mezcle el chile, el jitomate, la cebolla, el cilantro, el ajo y el jugo de la naranja. Por último, sazone con sal.

Salsa pek

Ingredientes:
75 gm de pepitas de calabaza, sin cáscara y ligeramente
   tostadas
2 chiles habaneros, asados
2 dientes de ajo, pelados
1/4 de cebolla mediana
1/4 de taza de agua
1/4 de taza de aceite de maíz
Sal, al gusto

Cómo preparar:
   Licue los chiles, las pepitas de calabaza, el ajo y la
cebolla con el agua y sal, al gusto; luego fría la mezcla
10 minutos en una sartén con el aceite caliente. Sirva
de inmediato.

Salsa taquera para cochinita pibil

Ingredientes:
800 gm de jitomates, cortados en dados
10 chiles habaneros, sin semillas y picados
3 cucharadas de aceite
1 cebolla blanca, cortada en rodajas
Sal gruesa, al gusto

Cómo preparar:

Ponga la cebolla en una sartén con el aceite, y deje al fuego hasta que se haga transparente. Añada el jitomate y el chile; sazone con sal y deje cocer la preparación hasta que se reduzca ligeramente, removiendo de manera ocasional.

Salsa de limón para cochinita pibil

Ingredientes:

8 chiles habaneros, sin semillas y picados
2 cucharadas de aceite
1 cucharadita de orégano en polvo
1/2 taza de jugo de limón
Sal gruesa, al gusto

Cómo preparar:

En un recipiente coloque los chiles, el aceite, el orégano en polvo y el jugo de limón; mezcle perfectamente hasta que los ingredientes se incorporen. Sazone con sal, al gusto. Antes de servir procure que la salsa haya reposado por lo menos una hora, para que la sal en grano se disuelva.

Salsa estilo yucateco

Ingredientes:
4 rábanos chicos, picados
3 chiles habaneros
3 naranjas, cortadas en gajos
3 cucharadas de cilantro, picado
1 cebolla morada, en rodajas
1/4 de taza de jugo de naranja agria
1/4 de taza de aceite de oliva
1/2 cucharadita de orégano
Sal, al gusto

Cómo preparar:
Licue los chiles con el jugo de naranja, el orégano, la sal y el aceite de oliva. Mezcle el resto de los ingredientes y báñelos con la salsa. Es ideal para acompañar frijoles con puerco o carne de venado.

CHILE
DE ÁRBOL

Salsa tradicional

Ingredientes:
8 chiles de árbol, asados y sin semillas
2 dientes de ajo, asados
2 cucharadas de vinagre de manzana
2 cucharadas de agua
1/4 de cucharadita de comino, tostado y molido
1/4 de cucharadita de orégano seco, tostado
Sal, al gusto

Cómo preparar:
Licue los chiles con el vinagre, el ajo, el comino, el orégano y el agua; sazone con sal. Acompañe la salsa con machaca de res.

Salsa con xoconostles

Ingredientes:
4 xoconostles, asados, pelados y sin semillas
2 chiles de árbol, asados
1 diente de ajo, asado y pelado
Sal, al gusto

Cómo preparar:

En el molcajete muela los chiles y el ajo con la sal, al gusto; si no cuenta con molcajete hágalo en un recipiente ayudándose de un vaso de vidrio. Agregue los xoconostles y vuelva a triturar hasta que la salsa espese.

Salsa frita con jitomate

Ingredientes:
6 chiles de árbol, asados
2 dientes de ajo, pelados
1 jitomate mediano
1/2 manojo de cilantro
1/2 cebolla
1/4 de taza de aceite de maíz
Sal, al gusto

Cómo preparar:

Hierva el jitomate durante cinco minutos; enseguida muélalo junto con los chiles, el ajo, el cilantro y la cebolla. Luego fría la salsa cinco minutos en una sartén con el aceite. Por último, sazone con sal.

Salsa seca

Ingredientes:
8 tomates verdes, hervidos
3 chiles de árbol secos, asados
1 diente de ajo, pelado
1/4 de cebolla
Sal, al gusto

Cómo preparar:
En el molcajete, o en un recipiente con la ayuda de un vaso de vidrio, muela los chiles, los tomates, la cebolla y el ajo. Cuando obtenga una mezcla uniforme, sazone con sal.

Salsa tipo chimichurri

Ingredientes:
5 ramas de perejil, picadas
5 ramas de yerbabuena, picadas
5 ramas de albahaca, picadas
5 ramas de cilantro, picadas
4 chiles de árbol frescos, picados
3 dientes de ajo, pelados y picados
3 pimientas gordas
3 clavos de olor

3 hojas de laurel frescas

1 cucharada de pimentón (paprika)

1 cucharada de pimienta negra molida

1/2 taza de aceite de oliva

1/2 taza de vinagre de vino blanco

1/2 taza de agua

Sal, al gusto

Cómo preparar:

Sofría el ajo en una cacerola con el aceite caliente; agregue el chile, el perejil, la yerbabuena, la albahaca, el cilantro, las pimientas gordas, los clavos, la pimienta negra, el laurel, el pimentón, el aceite de oliva, el vinagre, el agua y la sal. Deje la preparación a fuego lento durante cinco minutos más, revolviendo constantemente. Rectifique la sazón y añada suficiente sal. Por último, vierta la salsa en un frasco esterilizado y lleve al refrigerador. Esta salsa tiene una duración de cinco días.

Salsa con tomate y yerbabuena

Ingredientes:

12 chiles de árbol, pasados por aceite caliente

10 tomates, asados

4 ramitas de yerbabuena, cortadas en rodajas

4 dientes de ajo, asados y pelados

3 cucharadas de aceite de oliva
Sal, al gusto

Cómo preparar:

Muela en el molcajete los dientes de ajo con sal, al gusto, hasta obtener un puré, añada los chiles uno a uno, alternando con el aceite de oliva. Al final, muela los tomates y sazone. Por último, agregue la yerbabuena y rectifique la sazón.

Salsa macha

Ingredientes:

20 chiles de árbol secos
4 limones (el jugo)
1 taza de aceite de oliva extra virgen
1 cucharada de orégano molido
1/4 de taza de aceite de cacahuate
Sal, al gusto

Cómo preparar:

Mezcle los aceites y caliéntelos a fuego medio. Pase los chiles por esta mezcla hasta que se doren ligeramente; retírelos y sazone. Luego, muélalos con el jugo de limón, el orégano y el aceite en que se frieron. Guarde esa salsa en frascos esterilizados.

CHILE
CHIPOTLE

Salsa con cacahuates

Ingredientes:

9 dientes de ajo, asados y picados con piel
2 chiles chipotles, secos
2 jitomates maduros, asados y picados con piel
2 clavos molidos
1 cucharadita de canela molida
1 cebolla, finamente rebanada y asada
1 cucharadita de mejorana fresca, picada
1 cucharada de aceite de oliva
1 cucharadita de jugo de limón
1/3 de taza de cacahuates asados
1/2 de taza de agua caliente
Sal, al gusto

Cómo preparar:

Ase los chiles en una cacerola; retire, y cuando estén fríos, ábralos a lo largo para retirarles las semillas. Dispóngalos en un recipiente y vierta encima el agua, luego de que hayan reposado alrededor de cinco minutos, licue con todo y agua hasta obtener un puré. Añada entonces los jitomates, el ajo, la canela, la cebolla, los clavos, la mejorana, el aceite de oliva, el jugo de limón y los cacahuates. Finalmente sazone con sal.

Salsa con tomate verde

Ingredientes:

5 tomates verdes, asados
4 dientes de ajo, asados y pelados
2 chiles chipotles secos, asados y sin semillas
1 taza de agua caliente
1 cebolla, finamente picada
1/4 de taza de cilantro fresco, picado
Sal, al gusto

Cómo preparar:

Remoje los chiles con el agua en un recipiente pequeño durante 10 minutos. Después, lícuelos con el agua en que se remojaron, los tomates verdes, la cebolla, el ajo y el cilantro; al final, sazone con sal.

Salsa de chipotle con piña y yerbabuena

Ingredientes:

9 hojas de yerbabuena, picadas
2 cucharaditas de cebollita cambray, picada
1 1/2 tazas de piña madura, descorazonada y finamente picada
1 cucharada de chiles chipotles adobados, picados (pueden ser de lata)

1/2 taza de pimiento rojo desvenado, sin semillas y finamente picado

Sal, al gusto

Cómo preparar:

Mezcle la piña, el chile, el pimiento, la yerbabuena y la cebolla en un recipiente. Por último, sazone con sal.

Salsa con charales

Ingredientes:

100 gm de charales, asados

45 gm de chiles chipotles, asados

4 dientes de ajo, asados y pelados

1 taza de agua

Sal, al gusto

Cómo preparar:

Muela perfectamente los chiles, los charales y el ajo con el agua; pare cuando tenga una mezcla homogénea. Vierta la salsa en un recipiente y sazone con sal.

Salsa quemada

Ingredientes:
400 gm de tomates verdes, asados
10 chiles chipotles, perfectamente asados
2 dientes de ajo, asados y pelados
Sal gruesa, al gusto

Cómo preparar:
Licue los chiles con los tomates, el ajo y la sal; vierta la salsa en un recipiente para salsa, y deje reposar cinco minutos antes de servirse.

Chiles chipotles en vinagre

Ingredientes:
350 gm de chiles chipotles
8 dientes de ajo
8 cebollas cambray
8 pimientas gordas
4 hojas de laurel
1 1/2 litros de agua hirviendo
1 raja de canela
1 ramita de tomillo
1 cucharadita de orégano

1 litro de vinagre de manzana o piña
Sal, al gusto

Cómo preparar:

Lave los chipotles y córteles el rabito con una tijera hasta dejarlos de un centímetro de largo. Luego colóquelos en un traste de barro y añada litro y medio de agua hirviendo. Déjelos reposar durante 24 horas. Al día siguiente escúrralos y colóquelos en un recipiente adecuado; vierta agua hasta cubrirlos y hiérvalos cinco minutos con las pimientas, la canela, el laurel, el tomillo, la sal, el ajo, las cebollas y el orégano. Después, guarde todos los ingredientes en un frasco de vidrio y cubra con el vinagre. Déjelos reposar cuando menos cuatro o cinco días.

CHILE
PASILLA

Salsa con jitomate y tomate verde

Ingredientes:
5 chiles pasilla
2 dientes de ajo, asados y pelados
1 pizca de pimienta negra
1 tomate verde, asado
1 jitomate, asado
1/4 de cucharadita de orégano
Sal, al gusto

Cómo preparar:
Ase los chiles a fuego medio en una cacerola; retíreles las semillas y licuelos con los ajos, la pimienta, el tomate, el jitomate, el orégano y la sal.

Salsa con nopal

Ingredientes:
5 dientes de ajo, asados y pelados
4 chiles pasilla, asados, desvenados y sin semillas, pero reserve las de dos chiles, las cuales pondrá a asar
3 cucharadas de queso fresco de cabra, desmenuzado
2 jitomates maduros, asados
2 cucharadas de cebolla, picada
1 cucharada de tequila

1/2 taza de nopales, picados en cubos pequeños
1/2 taza de agua
Sal, al gusto

Cómo preparar:

Licue el nopal con el agua hasta obtener un puré. Añada los chiles, las semillas asadas, el ajo, los jitomates y el tequila, y termine de licuar. Por último, agregue la cebolla y revuelva perfectamente sazonando con la sal. Antes de servir espolvoree el queso.

Salsa borracha tradicional

Ingredientes:
135 gm de chiles pasilla, asados y desvenados
85 gm de queso añejo desmoronado
4 dientes de ajo, pelados
1 litro de pulque
1 cebolla, finamente picada
1/4 de taza de aceite de oliva
Sal, al gusto

Cómo preparar:

Un día antes, ponga los chiles a remojar en medio litro de pulque. Al día siguiente, muela los dientes de ajo y agregue los chiles junto con el aceite de oliva y vuelva a moler. Agregue la cebolla, el pulque y el queso, y revuelva perfectamente. Finalmente, sazone con sal.

Salsa con especias

Ingredientes:
5 chiles pasilla, asados y desvenados
4 pimientas negras trituradas
2 dientes de ajo, pelados
1 rajita de canela triturada
1 cebolla, finamente picada
1/2 taza de vinagre de vino blanco
Sal, al gusto

Cómo preparar:
En el molcajete, o en un recipiente con la ayuda de un vaso, muela los chiles con el ajo, aunque para hacer más fácil la labor, vierta el vinagre. Añada la pimienta y la canela, y revuelva perfectamente. Sazone con sal y agregue por último la cebolla, revolviéndola en la mezcla.

Salsa de chile pasilla

Ingredientes:
10 tomates verdes

5 chiles pasilla, asados y desvenados
2 dientes de ajo, pelados
Agua, la necesaria
Sal, al gusto

Cómo preparar:
Hierva los tomates en el agua (necesaria) durante cinco minutos; pero ¿qué es la necesaria?, la que cubra por completo los tomates. Luego, muela el ajo con sal, al gusto; incorpore los chiles y por último los tomates. Al final, sazone con sal.

Salsa endiablada

Ingredientes:
18 chiles pasilla, asados, desvenados y sin semillas
5 pimientas negras
3 clavos
2 cabezas de ajo, asadas
2 tazas de vinagre de vino blanco
1 cebolla, asada
1 cucharada de mejorana seca
1 cucharada de laurel troceado
1 taza de aceite de oliva
1/2 cucharadita de orégano
Sal, al gusto

Cómo preparar:

Disponga los chiles, la cebolla, el ajo, la mejorana, el vinagre, el orégano, el laurel, las pimientas y los clavos en una cacerola. Ponga a fuego lento y deje hervir durante 20 minutos, contados hasta que inicie el punto de ebullición. Licuelos hasta obtener una consistencia homogénea; cuele la preparación. Luego, vierta el aceite de oliva y mezcle una vez más. Por último, sazone con sal.

Salsa estilo Don Porfirio

Ingredientes:

180 gm de chile pasilla, asados y sin semillas
75 gm de queso añejo desmoronado
40 gm de ciruelas pasas, deshuesadas
8 cucharadas de aceite de oliva
3 dientes de ajo, asados y pelados
1 taza de pulque
1 taza de jugo de naranja
Sal, al gusto

Cómo preparar:

Una noche antes, ponga los chiles a remojar. Al día siguiente, muélalos en el molcajete o en un recipiente con el ajo y las ciruelas, vertiendo de manera gradual el jugo de naranja y el pulque en que se remojaron los chiles, hasta obtener una salsa espesa. Para terminar, añada el aceite de oliva, la sal y el queso añejo.

Salsa al orégano

Ingredientes:
8 chiles pasilla
3 naranjas agrias (el jugo)
1 taza de consomé de pollo
1 diente de ajo, asado y pelado
1 cucharadita de orégano molido
1 pizca de pimienta molida
1/4 de taza de aceite de oliva
Sal, al gusto

Cómo preparar:
Corte en rodajas los chiles y póngalos a remojar en el consomé caliente hasta que se suavicen. Después, muéla-los con el ajo, el jugo de naranja, el aceite, el orégano, la sal y la pimienta. Deje reposar antes de servir, pues esta salsa tiene mejor sabor fría.

CHILE
MORITA

Salsa con nuez

Ingredientes:
350 gm de nueces de castilla, peladas
8 chiles morita
3 clavos, ligeramente tostados
2 dientes de ajo, asados y pelados
1 taza de consomé de pollo
1 rajita de canela, ligeramente tostada
Sal, al gusto

Cómo preparar:
Remoje los chiles en el consomé caliente hasta que se suavicen; enseguida, desvénelos. Después, muélalos con el ajo, los clavos y la canela; agregue las nueces, y por último, sazone con sal. Si no cuenta con molcajete, muela los ingredientes en un recipiente ayudándose de un vaso de vidrio.

Salsa con escamoles

Ingredientes:
7 chiles morita, desvenados, asados y sin semillas
2 dientes de ajo, pelados
1 taza de escamoles

Agua, la necesaria
Sal, al gusto

Cómo preparar:

Lave los escamoles, seleccione los de color claro y escúrralos en un colador para secarlos. Después, muela los chiles y el ajo en el molcajete con una pequeña cantidad de agua, si no tiene molcajete, hágalo en un recipiente ayudándose con un vaso de vidrio. Luego, agregue los escamoles y revuélvalos con la salsa. Al final, sazone con sal.

CHILE
PIQUÍN

Salsa con mango

Ingredientes:
185 gm de piloncillo
36 pimientas gordas
10 mangos manila (la pulpa)
10 chiles piquines
2 tazas de vinagre de vino blanco
Sal, al gusto

Cómo preparar:
Licue los chiles con el mango, las pimientas y el piloncillo. Mezcle esta preparación con el vinagre y llévela al fuego en una cacerola. Cocine hasta que pueda ver el fondo del recipiente. Retire y deje reposar por lo menos 30 minutos. Sirva de preferencia fría.

Salsa para costillas

Ingredientes:
4 cucharadas de aceite de oliva
3 jitomates
3 cucharadas de chile piquín molido
3 cucharadas de perejil
3 cucharadas de azúcar
2 dientes de ajo, pelados

1 pizca de pimienta negra
1/4 de taza de vinagre
1/2 cebolla grande, fileteada
Sal, al gusto

Cómo preparar:
Fría los dientes de ajo en el aceite caliente; retírelos, y en el mismo aceite fría la cebolla a fuego medio. Aña-da los jitomates, previamente molidos, el chile piquín y el perejil; cocine a fuego medio y añada el azúcar junto con el vinagre. Por último, sazone con sal y pimienta. Es ideal para cualquier tipo de carne.

Aceite de chile con limón

Ingredientes:
3 limones (el jugo)
2 dientes de ajo, pelados
1 taza de aceite de oliva
1/4 de taza de chiles piquín
Sal, al gusto

Cómo preparar:
Dore los dientes de ajo en media taza de aceite ca-liente. Retire el ajo, y en el mismo aceite saltee los chi-les a fuego medio, agitando continuamente para que el

dorado sea parejo; agregue el jugo de limón y la sal; mezcle perfectamente y vierta el aceite restante. Luego, baje el fuego al mínimo y deje cocer durante cinco minutos. Permita que la salsa se enfríe y guárdela en un frasco con tapa; déjela reposar dos días antes de usarla. Luego de usarla puede guardar el restante en el refrigerador, en cuyo lugar le durará cerca de 15 días.

Cacahuates con chile piquín

Ingredientes:
4 cucharadas de aceite de cacahuate
2 dientes de ajo, pelados
2 limones (el jugo)
1/2 taza de aceite de oliva
1/2 taza de chiles piquín
1/2 taza de cacahuates, con cáscara
Sal, al gusto

Cómo preparar:
Mezcle los dos aceites; llévelos al fuego en una sartén, agregue los dientes de ajo y dórelos. Retire el ajo, y en el mismo aceite saltee los chiles a fuego medio junto con la sal y el jugo de limón; enseguida, retire los chiles y dore ligeramente los cacahuates. Después triture el ajo, los chiles y los cacahuates en el molcajete,

si no lo tiene, hágalo en un recipiente hondo; mezcle con el aceite aromatizado y rectifique la sazón. Guarde la preparación en un frasco y manténgala en el refrigerador. Esta salsa le puede durar hasta 15 días si se mantiene en el refrigerador.

Salsa chiapaneca

Ingredientes:
235 gm de semillas de calabaza, sin sal y molidas
4 cucharadas de chile piquín molido
1 cucharada de fécula de maíz
1/2 taza de caldo de pollo
Sal, al gusto

Cómo preparar:
Tueste las semillas de calabaza y el chile en una sartén a fuego medio; remueva de forma constante. Agregue el caldo de pollo frío con la fécula de maíz diluida en él. Baje el fuego y continúe removiendo para que no se pegue. Por último, sazone con sal.

CHILE
CASCABEL

Salsa de chile cascabel

Ingredientes:
8 chiles cascabel, asados
8 pimientas negras enteras
3 dientes de ajo, pelados
1 cebolla mediana, rebanada
1 cucharada de manteca de cerdo
1/2 cucharadita de comino
Sal, al gusto

Cómo preparar:
Muela los chiles, la cebolla, el ajo, el comino y las pimientas hasta obtener una consistencia cremosa. Luego, fría la salsa cinco minutos en la manteca de cerdo caliente. Al final, sazone con sal.

Salsa diabla

Ingredientes:
85 gm de chile cascabel, asados y desvenados
5 dientes de ajo
1 taza de vinagre de vino blanco
Sal, al gusto

Cómo preparar:

Una noche anterior, ponga los chiles a remojar en el vinagre. Al día siguiente, lícuelos con el ajo, el vinagre en que reposaron y la sal que guste hasta obtener una consistencia cremosa.

Salsa con jengibre

Ingredientes:

5 chiles cascabel, asados
5 pimientas gordas, asadas
3 cucharadas de jengibre fresco, picado
3 clavos, asados
2 dientes de ajo, asados y pelados
2 cucharadas de manteca de cerdo
1 raja de canela, asada
1 taza de caldo de pollo
1 jitomate, asado
1/2 cebolla chica, asada
Sal, al gusto

Cómo preparar:

En el molcajete, o en un recipiente hondo con la ayuda de un vaso de vidrio, muela el jitomate, el ajo, la cebolla, los chiles y las especias con el caldo de pollo.

Luego, caliente la manteca a fuego muy alto y agregue la mezcla anterior. Deje cocinar a fuego medio hasta que la salsa reseque; cuele y sazone con sal.

Salsa con guajes

Ingredientes:
4 tomates verdes, asados
3 chiles cascabel, asados y sin semillas
3 cucharadas de aceite de oliva
3 vainas de guajes (las semillas)
2 dientes de ajo, asados y pelados
1/2 cebolla chica, asada
Sal, al gusto

Cómo preparar:
Muela los chiles, la cebolla, el ajo y los tomates en el molcajete. Agregue las semillas de guaje con el aceite de oliva y revuelva perfectamente. Por último, sazone con sal.

CHILE
ANCHO

Salsa con piloncillo

Ingredientes:
2 chiles anchos, asados, desvenados y sin semillas
2 dientes de ajo, asados y pelados
2 cucharadas de vinagre de manzana
1 taza de agua
1/2 piloncillo
1/2 cebolla, picada
Sal, al gusto

Cómo preparar:
Ponga el vinagre en una cacerola y llévelo al fuego; cuando comience a hervir añada el piloncillo, el agua, los chiles y el ajo. Deje éstos hasta que el piloncillo se disuelva y los chiles se suavicen. Permita que se enfríe la preparación y agregue la cebolla; después, lícuela hasta obtener un puré. Por último, sazone con sal.

Salsa con jugo de naranja y anís

Ingredientes:
2 chiles anchos, sin semillas
1 taza de jugo de naranja
1 cucharada de semillas de anís
1/2 taza de jugo de limón

1/2 taza de jugo de toronja
Sal, al gusto

Cómo preparar:

Disponga los chiles en una charola para hornear. Introdúzcalos en el horno precalentado a 205° y hornee hasta que se doren y suavicen (entre siete y 10 minutos, aproximadamente), sin que lleguen a quemarse. Retírelos del horno y déjelos enfriar. Después, lícuelos con los jugos de naranja, limón y toronja, y las semillas de anís. Sazone con sal y al final cuele la salsa.

Salsa de ajo y comino

Ingredientes:
5 chiles anchos, remojados y desvenados
5 dientes de ajo, asados y pelados
2 cucharadas de cebolla, picada
1 bolillo (el migajón)
1/4 de cucharadita de comino
1/4 de taza de vinagre de vino blanco
Sal, al gusto

Cómo preparar:

Triture los chiles en el molcajete o en un recipiente hondo con la ayuda de un vaso de vidrio, junto con el

comino, el migajón y el ajo; vierta el vinagre y luego añada la cebolla. Siga triturando hasta obtener una
mezcla uniforme. Por último, sazone con sal.

Salsa de chile ancho cocida

Ingredientes:
4 chiles anchos, asados, desvenados y sin semillas
4 cucharaditas de vinagre de vino blanco
1 pizca de mejorana
1 vaso de jugo de naranja
1 pizca de laurel
1 pizca de anís
1 diente de ajo
1/2 cebolla chica
1/2 taza de agua
1/4 de taza de aceite de maíz
Sal, al gusto

Cómo preparar:
Hierva durante tres minutos los chiles con el jugo
de naranja, la mitad del vinagre, el agua, la mejorana,
el laurel, el anís y la cebolla. Muela estos ingredientes
con el resto del vinagre y después fríalos cinco minutos
a fuego muy bajo en una sartén con el aceite caliente.
Por último, sazone con sal.

Salsa pascal

Ingredientes:
235 gm de semillas de calabaza, sin sal y sin tostar
3 cucharadas de manteca de cerdo
2 chiles anchos sin semillas
2 dientes de ajo, pelados
1 ramita de epazote
1/2 cebolla chica
Consomé de pollo, el necesario
Agua para remojar los chiles
Sal, al gusto

Cómo preparar:
Remoje los chiles en agua durante 15 minutos. Muela las semillas de calabaza, la cebolla, el ajo y los chiles con el consomé de pollo. Fría estos ingredientes en una sartén con la manteca caliente; agregue la rama de epazote y sazone. Cocine durante 15 minutos a fuego bajo, removiendo continuamente para evitar que se pegue; rectifique la sazón. Por último, retire la rama de epazote, y sirva.

Salsa para barbacoa de pollo

Ingredientes:
13 cominos
9 pimientas gordas
6 chiles anchos, asados
6 chiles guajillos, asados
5 clavos de olor
3 dientes de ajo
1/2 cucharadita de orégano
Sal, al gusto

Cómo preparar:
Remoje los chiles hasta que se suavicen. Muélalos con las especias y el ajo. Esta salsa queda lista para preparar una barbacoa de pollo.

Salsa de tijera

Ingredientes:
185 gm de queso chihuahua rallado
4 chiles anchos secos
4 cucharadas de vinagre
1 manojo pequeño de hierbas de olor (laurel, tomillo, mejorana y romero)
1 cebolla grande

1/4 de taza de aceite de oliva
Sal, al gusto

Cómo preparar:

Lave los chiles y córtelos en tiras con una tijera y retire las semillas por completo. En una sartén acitrone la cebolla con el aceite y coloque ahí los chiles, friéndolos ligeramente. Enseguida, agregue el vinagre, las hierbas de olor, atadas de preferencia, y el queso. Cocine durante 10 minutos y rectifique la sazón. Deje enfriar, y por último, retire el atado de hierbas.

Salsa de tuétano

Ingredientes:

500 gm de huesos con tuétano
2 chiles anchos, asados
2 cucharadas de aceite de oliva
1 jitomate bola, asado
1 cebolla, asada
1 diente de ajo, asado y pelado
1 pizca de pimienta negra
Sal, al gusto

Cómo preparar:

Muela el jitomate, los chiles, la cebolla y el ajo; reserve. Después, remoje los huesos en agua caliente con sal; cuando se ablande el tuétano, retírelo del hueso. Disponga la mitad en una sartén con el aceite caliente, sazone con sal y pimienta y fríalo hasta que se deshaga; luego, vierta la salsa y cocine hasta que reseque. Agregue el resto del tuétano, previamente picado; por último, rectifique la sazón.

CHILE
GUAJILLO

Salsa con jitomate

Ingredientes:
3 chiles guajillo, asados, desvenados y sin semillas
3 dientes de ajo, asados y pelados
1 jitomate mediano, asado
1 taza de agua
1/4 de taza de vinagre de manzana (opcional)
1/4 de cucharadita de cáscara de naranja fresca
1/2 taza de cebolla, picada
1/2 cucharadita de orégano seco
1/2 cucharadita de comino, asado y molido
Sal, al gusto

Cómo preparar:
   Licue los chiles con el jitomate, el vinagre, el agua, el ajo, el orégano, el comino, la cáscara de naranja y la cebolla; sazone con sal.

Salsa caramelo picante

Ingredientes:
35 gm de azúcar
4 chiles guajillo chicos, cortados en tiras
1 taza de agua
1 diente de ajo, machacado

Cómo preparar:

Disuelva el azúcar en media taza de agua. Lleve la mezcla a fuego lento junto con los chiles, y déjela hervir hasta que adquiera consistencia de miel. Agregue el agua restante junto con el ajo y deje hervir la preparación cinco minutos más. Al final cuele la salsa. Esta salsa es ideal para acompañar pollo a la parrilla.

Salsa con hoja santa y mango

Ingredientes:

6 chiles guajillo, asados y sin semillas

5 pimientas gordas

4 cucharadas de manteca de cerdo

2 dientes de ajo, asados y pelados

2 mangos (la pulpa)

2 tomates verdes, asados

2 clavos de olor

2 tazas de caldo de pollo

1 jitomate, asado

1 hoja santa, picada

1/2 cebolla, asada

Sal, al gusto

Cómo preparar:

Caliente la manteca a fuego alto; agregue el ajo, la cebolla, el jitomate, los tomates, los chiles y las especias. Cocine durante cinco minutos removiendo continuamente. Añada el mango y la hoja santa; déjelos cocer durante 15 minutos a fuego medio. Retire la preparación y permita que se enfríe; luego muélala, pásela por un colador, y regrésela al fuego hasta obtener la consistencia deseada. Sirva esta salsa caliente. Es ideal para la carne de cordero.

VARIOS
CHILES

Salsa de chilaca

Ingredientes:
5 chilacas, asadas
2 dientes de ajo, pelados
1 cucharadita de orégano
1 cucharada de cebolla, picada
1/4 de taza de agua
Sal, al gusto

Cómo preparar:
Muela las chilacas con el ajo, la cebolla y el agua. Sazone con sal, y para terminar, esparza el orégano sobre la salsa.

Salsa guerrerense

Ingredientes:
400 gm de tomates verdes
5 chiles costeños
1 diente de ajo, pelado
1/3 de taza de cilantro, finamente picado
1/2 taza de cebolla, finamente picada
Sal, al gusto

Cómo preparar:

Ase los chiles y los tomates verdes en el comal.
Muélalos junto con el ajo. Después, vierta la mezcla
en una salsera y agregue la cebolla, el cilantro y la sal.
Revuelva hasta que todos los ingredientes queden perfectamente incorporados; rectifique la sazón.

Salsa de pimiento con ajonjolí

Ingredientes:
350 gm de semillas de ajonjolí tostadas
5 chiles morron verdes, asados
5 chiles morron rojos, asados
4 jitomates
3 cucharadas de aceite de oliva
2 dientes de ajo, pelados
1 cucharada de tomillo, finamente picado
Sal, al gusto

Cómo preparar:

Muela los chiles, el ajonjolí, el ajo y los jitomates.
Mezcle estos ingredientes con el tomillo y el aceite de
oliva. Finalmente, sazone con sal.

Mole amarillo

Ingredientes:

75 gm de chiles chilcoxtles, asados y desvenados

35 gm de masa de maíz

4 pimientas gordas

4 jitomates

4 dientes de ajo, pelados

4 tomates verdes

3 cucharadas de manteca de cerdo

2 clavos de olor

2 hojas de hierba santa

1 pizca de cominos

1 cebolla chica

1/2 taza de caldo de pollo

Sal, al gusto

Cómo preparar:

Remoje los chiles en agua caliente durante 20 minutos. Muélalos con las especias, los jitomates, el ajo, los tomates y la cebolla. Fría estos ingredientes en la manteca caliente y añada las hojas de hierba santa junto con el chile. Luego, mezcle la masa con el caldo e intégrela a la salsa. Sazone con sal. Es ideal para las carnes rojas, o bien para acompañar una deliciosa guarnición de papas al horno, perfumadas con romero fresco.

Salsa de chile costeño con nopales

Ingredientes:

8 chiles costeño, asados y sin semillas
8 nopales tiernos, asados y cortados
5 tomates verdes, asados
2 dientes de ajo, asados y pelados
1 pizca de orégano
1/4 de cebolla grande, asada
Sal, al gusto

Cómo preparar:

En un molcajete, o en un recipiente con la ayuda de un vaso de vidrio, muela los tomates, el ajo, la cebolla y los chiles; cuando obtenga una mezcla uniforme, sazone con sal y agregue la pizca de orégano. Agregue los nopales, revuelva y sazone nuevamente con un poco más de sal.

Índice

Chile Manzano

Chile Habanero

Chile de Árbol

Chile Chipotle

Chile Cascabel

Chile Ancho

Chile Guajillo

Varios Chiles

OTROS TITULOS DE ESTA COLECCIÓN

Esta obra se terminó de imprimir en los talleres de
EDICIONES CULTURALES PARTENON, S.A. DE C.V.
16 de Septiembre No. 29-A Col. San Francisco Culhuacán
C.P. 04700, México, d.f., 5445-9534